遠流出版公司

討厭黑夜的席奶奶

文／雀莉・杜蘭・萊恩
圖／亞諾・歐伯
譯／林良

HILDILID'S NIGHT

討厭黑夜的席奶奶　　　　　　　　　　　　　　　　　　　　　世界繪本傑作選

發行／1992年8月30日 初版1刷　2013年12月25日 二版3刷

文／雀莉‧杜蘭‧萊恩　圖／亞諾‧歐伯　譯／林良

發行人／王榮文　出版發行／遠流出版事業股份有限公司　台北市南昌路2段81號6樓

行政院新聞局局版臺業字第1295號　郵撥／0189456-1　電話／(02)2392-6899　傳真／(02)2392-6658

本書之授權係經由博達著作權代理有限公司安排取得

印刷／吉興彩色印刷有限公司

本書若有漏頁或破損‧請寄回更換

遠流博識網 http://www.ylib.com/　E-mail:ylib@ylib.com

ISBN 978-957-32-7021-8　　　　　　　　　　　　　　　　　　　　NT $ 250

何鎮附近的山區裡，住著一位老太太，人家叫她席奶奶。

她_{ㄊㄚ}討_{ㄊㄠˇ}厭_{一ㄢˋ}蝙_{ㄅㄧㄢ}蝠_{ㄈㄨˊ}討_{ㄊㄠˇ}厭_{一ㄢˋ}貓_{ㄇㄠ}頭_{ㄊㄡˊ}鷹_{一ㄥ}討_{ㄊㄠˇ}厭_{一ㄢˋ}鼴_{一ㄢˇ}鼠_{ㄕㄨˇ}

討_{ㄊㄠˇ}厭_{一ㄢˋ}田_{ㄊㄧㄢˊ}鼠_{ㄕㄨˇ}。

討厭蛾子討厭星星討厭黑影討厭睡
覺，　連月光她也討厭，　說來說去，　她
討厭的就是黑夜。

席奶奶對她那隻老獵狗說：「要是我能把黑夜趕出何鎮，太陽就能永遠照著我的小茅屋。真不懂，為甚麼從來就沒人想過要把黑夜趕走。」

她用小樹枝紮了一把掃帚，要掃掉茅屋裡和何鎮山區上面的黑夜。

她又掃又扒又撥又揮的，但是每次向窗外一看，黑夜還是在那裡，就像天花板上掃不乾淨的灰塵。

　　席工奶奶奶拿出縫針來，　把麻布縫成
一個結結實實的麻布袋，　看看能不
能把黑夜裝在裡面，　拿到何鎮山區
外面去倒掉。

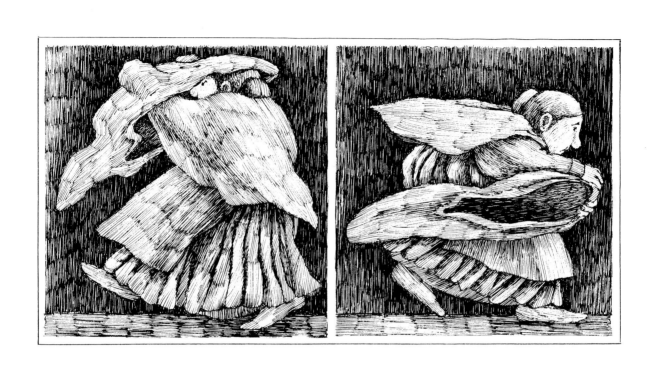

她又裝又填又壓又塞的，躡手躡
腳的連一個黑影也不放過，還是沒
辦法把黑夜全都塞進麻布袋裡。

席奶奶把最大的一口鍋搬出來擱在火堆上，打算把黑夜煮成湯。她舀起來看，攪攪看，燉燉看，讓水開了再看看，嘗一口看看，扔進火裡燒燒看，就是沒法子把黑夜煮化了。

席奶奶弄來一些藤蔓，　想把黑夜結結實實捆成一綑。

她想：「帶到市場上，　說不定有人買。」

可是她捆不住黑夜。

席ㄒㄧˊ奶ㄋㄞˇ奶ㄋㄞˇ像ㄒㄧㄤˋ剪ㄐㄧㄢˇ羊ㄧㄤˊ毛ㄇㄠˊ
似ㄙˋ的ㄉㄜ˙去ㄑㄩˋ剪ㄐㄧㄢˇ黑ㄏㄟ夜ㄧㄝˋ， 但ㄉㄢˋ
是ㄕˋ從ㄊㄨㄥˊ天ㄊㄧㄢ上ㄕㄤˋ掉ㄉㄧㄠˋ下ㄒㄧㄚˋ來ㄌㄞˊ的ㄉㄜ˙
只ㄓˇ是ㄕˋ一ㄧˋ些ㄒㄧㄝ雲ㄩㄣˊ。

她ㄊㄚ把㄀ㄚˇ黑ㄏㄟ夜㄀ㄝˋ扔ㄖㄥ給ㄍㄟˇ躺㄀ㄤˇ在㄀ㄞˋ破㄀ㄛˋ布㄀ㄨˋ堆㄀ㄨㄟ
上㄀ㄤˋ的㄀ㄜ˙老㄀ㄠˇ獵ㄌㄧㄝˋ狗㄀ㄡˇ， 但ㄉㄢˋ是ㄕˋ老㄀ㄠˇ獵ㄌㄧㄝˋ狗㄀ㄡˇ吃ㄔ
不㄀ㄨˋ下ㄒㄧㄚˋ去㄀ㄩˋ。

她ㄊㄚ把ㄅㄚˇ黑ㄏㄟ夜ㄧㄝ塞ㄙㄞ進ㄐㄧㄣˋ床ㄔㄨㄤˊ上ㄕㄤˋ的ㄉㄜ草ㄘㄠˇ墊ㄉㄧㄢˋ裡ㄌㄧˇ，但ㄉㄢˋ是ㄕˋ黑ㄏㄟ夜ㄧㄝ又ㄧㄡˋ跳ㄊㄧㄠˋ了ㄌㄜ出ㄔㄨ來ㄌㄞˊ。

她㊏把㊌黑㊊夜㊀沈㊍在㊎屋㊌後㊍的㊍井㊍裡㊏，　但㊍是㊀
黑㊊夜㊀又㊍冒㊍出㊍水㊍面㊌來㊌。

她用蠟燭去燒黑夜，但
是黑夜又溜到屋外去了。

席⁼奶³奶³給˘黑⁽夜˙哼˙催˘眠ⁿ曲˘，

拿ㄋㄚˊ一ㄧˋ碟ㄉㄧㄝˊ牛ㄋㄧㄡˊ奶ㄋㄞˇ去ㄑㄩˋ澆ㄐㄧㄠ黑ㄏㄟ夜ㄧㄝˋ，

對ㄉㄨㄟˋ黑ㄏㄟ夜ㄧㄝˋ揮ㄏㄨㄟ拳ㄑㄩㄢˊ頭ㄊㄡˊ，　把ㄅㄚˇ黑ㄏㄟ夜ㄧㄝˋ放ㄈㄤˋ
在ㄗㄞˋ煙ㄧㄢ囪ㄘㄨㄥ裡ㄌㄧˇ燻ㄒㄩㄣ，

用脚踩黑夜，用手打黑夜，挖土
坑要埋黑夜，

她 還 —— 真 不 好 意 思 ——
對 黑 夜 吐 唾 沫。

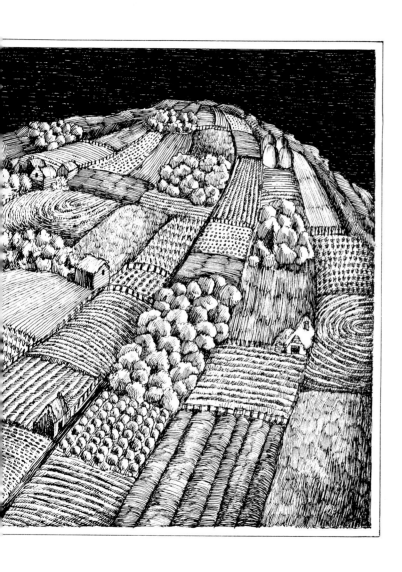

但是黑夜裡都不理她。

席奶奶冷冷的哼了一聲說：「我才不理你呢。」就轉過身去，不理黑夜了。

那個時候， 太陽爬上了何鎮山區
的山頂。 但是席奶奶為了跟黑夜拚
命， 已經累得無心享受白天的快樂
了。

她安靜下來，
在鋪草墊的床上
睡著了，　等黑夜
再回到何鎮，　她
到時候又有力氣
好好的跟它幹一
場了。

晚ㄨㄢˇ安ㄢ！